Leonhard Thoma

Die Fantasien des Herrn Röpke

und andere Geschichten

Deutsch als Fremdsprache
Leseheft
Niveaustufe B1

Hueber Verlag

Worterklärungen und Aufgaben zum Text:
Kathrin Stockhausen, Valencia

Fotos:
Birgitta Schafitel, Hanna Schafitel und Herbert Jennissen, Augsburg
Kathrin Stockhausen, Susana Bartolomé, Miguel Fernández und
Leonhard Thoma, Valencia

Sie haben Fragen oder Anregungen an den Autor?
Schreiben Sie ihm eine E-Mail: leo.thoma@upf.edu

| 4. | 3. | 2. | | Die letzten Ziffern |
| 2014 | 13 12 11 10 | | | bezeichnen Zahl und Jahr des Druckes. |

Alle Drucke dieser Auflage können, da unverändert,
nebeneinander benutzt werden.
1. Auflage
© 2009 Hueber Verlag, 85737 Ismaning, Deutschland
Umschlaggestaltung: Cihan Kursuner, Hueber Verlag, Ismaning
Montage: Cihan Kursuner, Hueber Verlag, Ismaning
Umschlagfoto: Kati Kiermeir, Hueber Verlag, Ismaning
Redaktion: Kathrin Kiesele, Hueber Verlag, Ismaning
DTP: Satz+Layout Fruth GmbH, München
Druck und Bindung: Himmer AG, Augsburg
Printed in Germany
ISBN 978–3–19–301670–6

Inhaltsverzeichnis

Das Paar

1

⁵ Herr Mayer beobachtet das Paar schon eine ganze Weile. Ihr Tisch ist nicht weit entfernt, er kann beide gut sehen. Die beiden sitzen sich nicht gegenüber, sie sitzen nebeneinander.

Schlechtes Zeichen, denkt er. Wer so sitzt, hat nicht vor, ¹⁰ viel zu sagen. Wer so sitzt, hat sich nicht viel zu sagen. Wer so sitzt, will den anderen nicht einmal sehen.

Aber gut für ihn, so kann er das Paar besser beobachten.

Die Frau trinkt ein Glas Weißwein, wahrscheinlich Chardonnay. Der Mann trinkt ein Bier. Ein Weizen. Typisch.

¹⁵ Die Frau liest die Speisekarte. Sie weiß offenbar nicht, was sie nehmen soll. Sie kann sich nicht entscheiden. Typisch. Frauen wissen nie, was sie nehmen sollen. Sie suchen und suchen und am Ende fragen sie immer: ‚Und was nimmst du, Schatz?'

²⁰ Gleich wird sie fragen: ‚Und was nimmst du, Schatz?'

Jede Wette. Klare Sache. Herr Mayer ist sich ganz sicher, und er kann sich auch den Rest denken.

‚Das Steak, Liebling', wird der Mann antworten. ‚Das Rindersteak. Medium.'

²⁵ ‚Also auf Steak habe ich gar keine Lust', wird sie sagen.

‚Du musst das Steak ja auch nicht essen. Ich bestelle es, nicht du', wird der Mann flüstern. Leicht aggressiv.

Die Frau wird schweigen und weiter auf die Karte schauen.

³⁰ Sie wird den Fisch nehmen, das Dorade-Filet, ‚und bitte mit Salat, keine Pommes, bitte', wird sie sagen.

Aber noch liest sie die Karte. Konzentriert. Noch glaubt sie, sie könne entscheiden. Aber es ist schon entschieden. Alles.

³⁵ Aber zumindest ist sie beschäftigt. Er langweilt sich. Er sieht auf die Uhr. Er hat Hunger.

Herr Mayer schließt kurz die Augen, öffnet sie wieder. Was ist vorher passiert? Er kann sich alles vorstellen, ganz genau. Er sieht die Szene wie einen Film.

2

Vor einer Stunde waren die zwei noch zu Hause. Die Kinder sind nicht da, plötzlich ein freier Abend.

‚Was machen wir? Machen wir was?'

‚Ja, warum nicht. Kommt was im Kino?'

‚Keine Ahnung, aber für die Acht-Uhr-Vorstellung ist es sowieso schon zu spät, und für die Vorstellung um zehn bin ich heute fast zu müde, glaube ich.'

Für alles ist es zu spät. Auch fürs Theater, auch fürs Konzert. Auch für den Besuch bei Freunden.

‚Gehen wir essen? Ich habe Hunger.'

‚Ja, warum nicht. Wohin?'

‚Zu diesem Japaner, den wollten wir doch mal ausprobieren.'

‚Stimmt, aber das ist mir jetzt fast zu weit. Da brauchen wir ja das Auto. Und japanisch, heute, ich weiß nicht. Wie wär's denn mit dem *Limbo*?'

‚Das wird zu voll sein. Da muss man reservieren.'

‚Glaubst du?'

‚Ganz sicher. Ist doch immer so. Aber wenn du willst, können wir …'

‚Nein, muss nicht sein.'

‚Also …?'

‚Sag du was. Mir ist alles recht. Echt.'

Herr Mayer lächelt. Er hat die Szene so klar vor Augen.

‚Und wenn wir einfach ins *Dragone* gehen?'

‚Ins *Dragone*? Schon wieder Pizza.'

‚Ach, da gibt es doch auch was anderes. Es muss keine Pizza sein.'

7

‚Na schön, warum nicht …'

Herr Mayer sieht wieder zu den beiden. Der Mann schaut
zurück, ihre Blicke treffen sich. Sie sehen sich tief in die
5   Augen.
Soll er zwinkern, ihm ein Zeichen schicken? Ein Zeichen
der Solidarität. Zwei Männer, zwei Komplizen. Ohne
Worte. Männer müssen da nicht viel reden. Aber der Mann
sieht schon wieder weg. Auch Herr Mayer sieht weg.
10   Gleichzeitig.

Plötzlich hört Herr Mayer die Stimme.
„Und was nimmst du, Schatz?"
„Das Steak", antwortet Herr Mayer. „Das Rindersteak.
15   Medium."
„Also auf Steak habe ich gar keine Lust, noch dazu mit
Kartoffeln. Nein danke!"
„Du musst das Steak ja nicht … Nimm doch Fisch", sagt
Mayer zu seiner Frau, „der Fisch ist doch immer gut hier."
20   „Meinst du? Ich weiß nicht … "
Plötzlich sieht sie ihn an.
„Sag mal, Liebling, was ist los mit dir? Du redest so
wenig. Und warum glotzt du die ganze Zeit in den Spiegel?
Ist irgendwas?"
25   „Ach, nichts", sagt Herr Mayer, hebt sein Weizen und
sieht noch einmal kurz in den großen Spiegel an der Wand.
„Prost, Hilde."
Sie nimmt ihr Weinglas.
„Prost, Hans."
30   Sie wird die Dorade nehmen, denkt er, ganz sicher.

Die Leere
des Klassenzimmers

1

Vanessa schaut auf die Uhr. Schon zehn nach neun. Seltsam, sehr seltsam.

Zehn nach neun und noch kein Schüler da. Kein einziger. Nicht einmal die kleine Französin oder der lange stille Holländer. Die waren bis jetzt immer da und immer pünktlich.

Dass einige zu spät kommen, das ist normal. Sommerkurs. Deutsch lernen in Köln. Viele junge Leute, die wollen in ihren Ferien natürlich auch Spaß haben. Freizeit, Freunde, Party. Die kommen dann auch mal zu spät. Oder gar nicht.

Aber fast Viertel nach neun und niemand hier, das ist schon komisch. Sehr komisch.

Sie ist heute extra früh gekommen. Gestern ist der Kurs nicht so gut gelaufen. Viel Theorie, viel Grammatik. Alles sehr trocken, ein bisschen langweilig. Sie war nicht zufrieden. Also wollte sie den Unterricht heute besonders gut vorbereiten.

Sie kommt normalerweise gegen halb neun in die Schule, aber heute war sie schon viel früher da. Um Viertel vor acht. Die Schule war noch verschlossen. Niemand da, nicht einmal die Sekretärin. Aber Vanessa hat ja den Schlüssel. Das Lehrerzimmer war noch ganz dunkel. Sie mag diese Stille. Da kann sie sich gut konzentrieren. Sie hat einiges aus der Zeitung kopiert, ein paar Bilder aus dem Archiv gesucht und die Farbstifte geholt. Dann ist sie schon hoch in ihr Klassenzimmer gegangen, der einzige Kursraum im zweiten Stock.

Sie mag den Raum hier oben. Nicht sehr praktisch, aber sehr groß und ganz ruhig. Sie hat sich an ihren Tisch gesetzt und ein wunderschönes Arbeitsblatt produziert. Mit dem Kinoprogramm aus der Zeitung. Authentisches Material und absolut aktuell. Filme sind immer ein gutes Thema. Da können wirklich alle was sagen. Sogar Jim und Pedro,

10

die immer zu spät kommen, immer ganz hinten sitzen und nie den Mund aufmachen. Was wollen die eigentlich hier? Na ja, wahrscheinlich von Mama und Papa geschickt. Auch Luis, der einzige ältere Herr im Kurs, hat Kino als sein Hobby angegeben. 5

Ja, Kino ist gut, außerdem hat die Schule vorgestern im Kulturprogramm den Film ,Good bye, Lenin' gezeigt, auch darüber können sie alle sprechen. Und Max, der Streber, der immer alles besser weiß, hält dann vielleicht auch mal die Klappe. 10

2

Vanessa sieht auf die Collage. Das Blatt ist wirklich gut geworden. Das muss eine interessante Stunde werden. 15 Aber – ihr Blick fällt wieder auf die leeren Stühle und Bänke – dazu braucht sie Schüler!

Zwanzig nach neun! Und immer noch niemand da. Unglaublich! Mensch ... das kann doch kein Zufall sein! Sitzen die vielleicht alle zusammen fröhlich beim Früh- 20 stück? Kann doch nicht sein. Sich um neun zum Brunch treffen, das machen nur Deutsche.

Vanessa denkt noch einmal an gestern. Mein Gott! Ist das am Ende ... eine Art Boykott, ein organisierter Streik, eine Revolte? Gegen sie, gegen ihren Unterricht? 25

Na ja, die Chemie im Kurs ist wirklich nicht perfekt, die Atmosphäre ist eher kühl und distanziert. Alles geht zäh und langsam. Aber ist es ihre Schuld, wenn die Schüler bis drei Uhr nachts in irgendwelchen Kneipen sitzen und mor- gens dann todmüde sind? 30

Vanessa sieht wieder auf die leeren Bänke. Was für ein trister, gespenstischer Anblick.

War der Unterricht gestern denn so furchtbar? Gut. Er war trocken, langweilig, aber die Adjektivdeklination ist eben kein Abenteuer! 35

Pedro hat die ganze Zeit geschlafen, Luis hat meistens aus dem Fenster gesehen und Chantal hatte irgend etwas Wichtiges unter der Bank. Ein Buch wahrscheinlich. Die anderen haben mitgemacht, aber lustlos und unmotiviert.

5 Nur Max hat die ganze Zeit geredet. Wollte alle Fragen beantworten, alle Sätze machen, alle Texte lesen. Das andere Extrem, auch ein Albtraum.

Jim ist sogar mal rausgegangen. Einfach aufgestanden und gegangen. Kurz auf die Toilette, das ist okay. Aber er
10 war zwanzig Minuten weg. Sie hat schon gedacht, der kommt gar nicht mehr. Keine Lust mehr und tschüss. Aber dann ist er kurz vor der Pause doch wieder aufgetaucht, hat was von „Sekretariat" gemurmelt und sich wieder an seinen Platz gesetzt.

15 Und in der Pause haben ihre Schüler dann alle zusammen auf der Straße gestanden, geraucht und geredet. Der komplette Kurs. Irgendwie konspirativ, denn das machen sie normalerweise nicht. Sie hat das vom Balkon aus gesehen. Danach waren sie dann noch stiller … und ihre Blicke
20 demonstrativ noch gelangweilter und ironischer.

Mein Gott, haben sie da in der Pause vielleicht beschlossen, heute einfach nicht zum Kurs zu kommen? Um ihr und aller Welt zu zeigen, dass ihr Unterricht keinen Spaß macht? Eine Rebellion, um sie fertigzumachen. Denn wenn
25 die Schulleiterin irgendwann hochkommt und das sieht, dann hat Vanessa ein Problem. Ein dickes Problem.

Sie versteht sich zwar gut mit Birgitta, aber das kann die als Direktorin natürlich nicht akzeptieren. Das wird Ärger geben.

30 Halb zehn. Vanessa denkt nach. Vielleicht ist es besser, sie geht selbst runter und sagt Birgitta Bescheid. Sie kann sich hier oben ja jetzt nicht drei Stunden lang verstecken.

Was für ein Albtraum! Aber sie sieht das jetzt immer klarer. Alles passt zusammen. Und Jim war gestern die zwan-
35 zig Minuten wahrscheinlich nicht im Sekretariat, sondern bei der Direktorin.

12

Vanessa sieht noch mal auf die Uhr. Noch fünf Minuten, dann geht sie runter. Eine Katastrophe. Natürlich werden es alle erfahren. All die Kolleginnen und Kollegen. Was für eine Schande! Das Klima ist zwar ziemlich angenehm hier, aber Schadenfreude gibt es überall. Und Konkurrenz auch. 5
Sie sind alle nicht fest angestellt. Und einige hoffen, nächstes Schuljahr mehr Stunden zu bekommen.

3 10

Plötzlich hört Vanessa etwas im Treppenhaus. Da kommt jemand. Ein Schüler, eine Schülerin? Die kleine Französin oder der lange Holländer? Das würde zwar nichts ändern, aber sie wäre wenigstens nicht mehr ganz alleine hier.

Schritte auf dem Korridor. Sie schluckt, nimmt die 15 Kopien in die Hand und steht auf. Das sieht nicht ganz so dumm aus.

Plötzlich steht Birgitta in der Tür. Vanessa hat also zu lange gewartet. Wie blöd!

Birgitta bleibt stehen und verschränkt die Arme. 20

„Aber Vanessa, was machst du denn hier?"

„Naja", stottert Vanessa. Sie kämpft mit den Tränen. Das auch noch! Gleich heult sie. „Ich wollte …", murmelt sie und zeigt auf das Arbeitsblatt. Birgitta schüttelt den Kopf.

„Typisch Vanessa …" 25

Moment mal, denkt Vanessa, was heißt hier ‚typisch Vanessa'? Dass sie unbeliebt ist und keiner gern zu ihr kommt?

„… da hat sie mal frei, da sind mal all die Nervensägen unterwegs, und was macht sie, das fleißige Mädchen? Arbeitsblätter! Und das um neun Uhr morgens!" 30

Wie? Was? Wer? Vanessa kapiert gar nichts mehr.

Birgitta kommt auf sie zu und legt den Arm um sie.

„Mensch, Vanessa, geh doch nach Hause! Sei doch froh, dass die mal einen Tag auf Ausflug sind."

Sie lächelt. Konspirativ. 35

13

„Dazu haben wir doch das Kulturprogramm! Damit sich die Lehrer auch mal ausruhen können."

Kulturprogramm? Ausflug? Mein Gott, der Ausflug nach Bonn!

5 Birgitta sieht auf die Uhr.

„Oder weißt du was, Vanessa? Wo das Haus so schön leer ist … gehen wir doch zusammen frühstücken. Ein kleiner Brunch, die Schule lädt ein. Das haben wir uns doch verdient. Du vor allem: Gestern war ein Schüler von dir bei 10 mir und hat zwei Wochen verlängert. Er hat dich in den höchsten Tönen gelobt …"

Liebste Evi,

ich schreibe Dir, denn
ich möchte endlich etwa
wissen: Warum liebst

Du L

1

⁵ Ich schreibe Dir, denn ich möchte endlich etwas wissen:
Warum liebst Du mich? Ich meine, das darf ich doch fragen, oder? Du verstehst doch, das interessiert mich. Ich bin
einfach neugierig.

Na gut, vielleicht ist das auch eine komische Frage.
¹⁰ Natürlich sagst Du jetzt: Komm schon, das weißt Du doch
ganz genau.

Und Du hast recht, natürlich kann ich mir etwas denken,
aber ich möchte die Antwort von Dir hören. Von Dir, von
Dir, von Dir! Aus Deinem süßen Mund, von Deiner zarten
¹⁵ Hand.

Gut, ich kann ein bisschen spekulieren, fabulieren. Das
macht mir auch Vergnügen.

Also, am Anfang – darf ich ehrlich sein? – habe ich
²⁰ gedacht, vielleicht liebst Du nur mein Zuhause. Klar, Du
hattest fast nichts. Eine winzige Studentenbude, bei einem
Onkel, glaube ich.

Wir lernen uns in einer Bar kennen, wir plaudern so
schön, ich habe eine Idee, Du kommst mit, ganz spontan.
²⁵ Plötzlich die Wohnung, drei Zimmer, Küche, Bad, sogar ein
Balkon. Nach Süden. Und dann noch das Glas Sekt um
Mitternacht. Natürlich hat Dich das fasziniert. Das muss für
Dich Luxus gewesen sein.

³⁰ Schon drei Tage später hast Du wieder angerufen.

Hast Du heute Abend Zeit?, hast Du mich gefragt.

Natürlich!, habe ich geantwortet. Für Dich immer.

Prima, hast Du gesagt und dann geflüstert: Meine
Wäsche, kann ich vielleicht bei Dir waschen?
³⁵ Mein Gott, wie süß, Du hattest nicht einmal eine Waschmaschine!

Klar, habe ich geantwortet, und ich koche uns auch was Schönes.

Und wie es Dir geschmeckt hat! Ich habe nur improvisiert. Nudelsuppe, Schokopudding. (Ja, ja, meine Küche, die hast Du von Anfang an geliebt.)

An diesem Abend hast Du auch meinen Fernseher entdeckt. Großbild, 62 Programme, und immer irgendwo eine Seifenoper. Und das Sofa, so bequem!

Eine Woche später habe ich Dich dann eingeladen, zu einem richtigen Abendessen. Ich sehe Dich noch in der Tür stehen. In diesem dunkelblauen Kleid, und wieder mit diesem goldigen Wäschekorb.

Ich habe Gulasch gemacht, weißt Du noch, und danach ein Apfelkompott. Das Rezept von meiner Großmutter. Du warst begeistert. Und danach wieder die Telenovela auf dem Sofa. Und ein Korb voll frischer Wäsche. So hat unser Glück begonnen.

2

Danach hast du mich fast täglich besucht, oft schon nachmittags, mit und ohne Wäschekorb. Aber immer mit der Telenovela, die mit der turbulenten Liebesgeschichte.

Ehrlich gesagt, ich war anfangs richtig eifersüchtig, auf den Fernseher und auch ein bisschen auf den turbulenten Liebhaber. Wie Du ihn immer angesehen hast. Mit Deinen schönen großen braunen Augen.

Na ja, ich bin dann einkaufen gegangen. Für das Abendessen. Das habe ich gerne gemacht. Für Dich. Für uns.

Und dann die Badewanne. Weißt Du noch? Ich komme nach Hause, Du sitzt nicht vor dem Fernseher. Nanu? Wo steckst Du denn?

Du liegst in der Badewanne! Die Tür ordentlich abgeschlossen. Ich kann Dich nicht sehen, nur hören.

Verzeihung, flötest Du durch die Tür, aber ich habe …

Aber klar, antworte ich, gerne, Du kannst hier doch machen, was Du willst. Du bist doch zu Hause hier.

In Deiner Wohnung hast Du ja nur eine kaputte Dusche. Da muss meine Badewanne ein Paradies für Dich sein.

5 Eva im Paradies … und Adam hat in der Küche Äpfel geschält.

Ich kann Dir nicht sagen, wie neidisch ich auf die Badewanne war. Den Fernseher konnte ich noch mit Dir teilen. Aber in der Badewanne warst Du immer alleine, so nah

10 und doch so fern.

Ach ja! Wie gesagt, am Anfang habe ich wirklich gedacht, Du liebst vor allem meine Wohnung, unser kleines Paradies aus Soap und Seife, aus Teletraum und Apfelschaum. (Du

15 siehst, ich werde richtig poetisch!)

Aber dann haben wir ja meine Wohnung auch verlassen. Ich wollte Dir etwas bieten. Wir sind ausgegangen, ins Kino, ins Restaurant, auf Konzerte. Und unsere Ausflüge,

20 an den Baggersee und zu diesem Märchenschloss auf dem Berg.

Wie gut hat Dir das alles gefallen! Ja, das kannst Du: genießen.

Wir fahren los, ich zeige Dir etwas, ich lade Dich ein, ich

25 trage Dich auf Händen: Immer bist Du dankbar, fröhlich und begeistert.

Und Du lachst so herzlich über meine Witze. Du verstehst mich.

(Gut, meine Kollegen findest Du doof, aber das macht ja

30 nichts.)

Du magst das, das weiß ich, ich bin ganz wichtig für Dich. Du siehst, ich kann mir etwas denken, aber trotzdem will ich Dich nun fragen, ich will es von Dir hören … aus Dei-

35 nem schönen Mund, von Deiner zarten Hand.

Also …

Ich meine, Du musst das verstehen, Du bist jetzt schon drei Wochen in Paris. Ich weiß, Du musst alleine sein, für Deine Studien. Ich mache mir auch keine Sorgen, ich habe Dir ja genug Geld mitgegeben.

Aber einen kleinen Brief kannst Du doch schreiben, eine kurze, klare Antwort auf meine Frage … bitte, bitte, nur einen Satz … also: Warum liebst Du mich … einfach nicht?

Umtauschen

1

$_5$ Das ist schon sehr praktisch, dass man heutzutage alles umtauschen kann. Praktisch alles."

Sagt meine Frau. Nicht zu mir. Sie sagt das zu ihrer Freundin Sonja. Die nickt zustimmend und lässt sich noch eine Tasse Kaffee eingießen. Von meiner Frau.

$_{10}$ Die beiden sitzen am Esstisch im Wohnzimmer und unterhalten sich. Über Shopping, Schnäppchen, Sonderangebote. Kurz: über das Leben.

Ich bin auch da. Im Wohnzimmer. Nicht am Esstisch, sondern auf dem Sofa. Ich unterhalte mich nicht. Ich ver-$_{15}$ suche fernzusehen. Okay, es sind nicht die Nachrichten. Aber es ist auch kein Fußballspiel. Ich schaue einen Film an, einen sehr spannenden Film.

„Kannst du bitte ein bisschen leiser machen? Wir würden gerne ein bisschen reden."

$_{20}$ Sagt meine Frau. Diesmal zu mir.

„Klar, gerne, selbstverständlich", antworte ich und stelle ein bisschen leiser. Aber ich denke nicht ‚klar, gerne, selbstverständlich'. Ich denke: Sie könnten eigentlich auch auf die Terrasse gehen. Da kann man auch prächtig reden.

$_{25}$ „Stell dir vor, Sonja", sagt meine Frau, „neulich, da hat mein Mann so eine Küchenmaschine nach Hause gebracht. So einen Riesenapparat, so für Cappuccino und anderes Zeug."

Sie schüttelt den Kopf.

$_{30}$ „Ich glaube, es sollte sogar ein Geschenk sein. Aber das Ding ist völlig unpraktisch und nutzlos. 299 Euro für so einen Mist! Und er hatte sie natürlich auch schon ausgepackt und ausprobiert. Ich war entsetzt. Früher war das ein Grund für Riesenzoff. Aber heute … zum Glück habe $_{35}$ ich den Kassenbon noch in seiner Hosentasche gefunden. Da habe ich meinen Mann sofort mit dem Mistding und dem Bon ins Kaufhaus geschickt und er ist mit dem Geld zurückgekommen."

Sie sieht wieder zu mir.

„Schatz, geht es noch ein bisschen leiser, ich kann ja mein eigenes Wort nicht verstehen." 5

Seltsam. Ich kann sie sehr wohl verstehen, obwohl ich bestimmt fünf Meter entfernt sitze.

2 10

Aber dieses ‚noch leiser' ist auch kein Befehl, sondern ein Signal. ‚Noch leiser' heißt nicht einfach ‚noch leiser'. ‚Noch leiser' bedeutet: Keine Chance, du kannst jetzt nichts mehr richtig machen.

Sagen wir, ich mache noch leiser, sehe also einen 15 Stummfilm und bleibe auf dem Sofa sitzen, dann wird meine Frau nachher sagen:

‚Unmöglich! Da kommt Besuch, und du sitzt nur blöd auf dem Sofa und glotzt fern.'

Ich weiß, die Lösung sieht einfach aus. Ich müsste mich 20 nur an den Tisch setzen und zuhören. Bestimmt hat Sonja auch schon mal was zurückgegeben. Ein Abendkleid oder so.

Dann heißt es aber danach: ‚Sag mal, warum hast du eigentlich nur dagehockt und nichts gesagt?'

Na schön, ich kann auch mitreden. Gerne. Vielleicht 25 nicht über Einkaufen und Umtauschen, aber ich könnte Sonja nach ihrer Arbeit fragen. Ich glaube, sie schreibt gerade eine Doktorarbeit. In Psychologie oder so. Bestimmt interessant.

‚Du hast ziemlich genervt, weißt du das? Sonja wollte 30 mir was erzählen.' ‚Hat sie doch.'

„Ja, aber doch nicht von ihrer Doktorarbeit. Das interessiert doch jetzt niemanden.' Sie wird die Augen verdrehen. ‚Mensch, da kommt meine beste Freundin und wir können uns nicht einmal in Ruhe unterhalten.' 35

Also gut, ich kann auch rausgehen und die beiden in Ruhe lassen. In die Küche zum Beispiel. Oder auf die Terrasse. Zeitung lesen kann man ja überall.

Aber dann höre ich sie schon brüllen: ‚Da kommt Besuch und du gehst einfach raus. Demonstrativ. Ekelhaft.'

Ich mache leiser.

„Das mit dem Umtauschen", sagt meine Frau jetzt, „das ist wirklich genial. Ein toller Service. Du nimmst was nach Hause, es passt dir nicht, du merkst, dass du dich geirrt hast. Du hast einen Fehler gemacht. Aber kein Problem, schwuppdiwupp, du bringst es zurück. Keine Fragen, der Kassenbon genügt. Geld zurück, die Sache ist erledigt."

Na na, so einfach ist das nicht, denke ich. Die Kaffeemaschine habe ich Joachim geschenkt und danach 330 Euro vom Konto abgehoben.

„Eine falsche Entscheidung, aber du kannst sie korrigieren", fährt meine Frau fort, „schade, dass das nicht immer geht im Leben. Nicht mit allem." Sie sagt das zu ihrer Freundin, aber sie schaut zu mir.

Sissys Chance

1

⁵Ihre Chance ist da. Plötzlich sitzt er neben ihr. Er, der berühmte Regisseur. Sissy hält den Atem an. Jetzt nur nichts falsch machen …

Sissy möchte Schauspielerin werden. Unbedingt. Schon
¹⁰ihre Eltern wollten das. Um jeden Preis. Deshalb heißt sie ja Sissy, so wie Romy Schneider in ihrer ersten großen Rolle als junge Kaiserin.

Und genau das war Sissy auch immer: eine kleine Prinzessin … und ein großes Talent. Findet sie zumindest und
¹⁵ihre Familie natürlich auch.

Schon als Kind war sie immer die Beste, die Hübscheste und die Klügste. Gut, vielleicht nicht in Mathe und Deutsch, aber in all den schönen Künsten. In der Ballettschule (oh wie putzig!) und im Schulchor (oh wie expres-
²⁰siv!), später in der Theatergruppe (oh wie dramatisch!) und beim Tanzkurs (oh wie wild!).

Kurz: viele Gründe für große Hoffnungen. Es hat auch gut angefangen: schon mit eins (!) eine Rolle als trockenes Baby in einer Windelreklame, mit sieben als vernünftiges
²⁵Kind in einer Zahnpastawerbung („Ich putz sie fünfmal täglich. Und du?"). Und mit zwölf war sie sogar das offizielle Gesicht einer Aktion der städtischen Sparkasse („Sparen lohnt sich: Fangt schon mal an!"). Was für ein Karrierestart! Die Telenovelas, ihr Traumziel, waren schon ganz
³⁰nah.

Nach dem Abitur hat sie sich also gleich beworben, bei all den bekannten Schauspielschulen in München, Berlin, Zürich. Aber zu ihrer Überraschung hat keine sie genom-
³⁵men. Einfach unglaublich, diese elitären „Akademiker" mit ihrem „klassischen Repertoire" haben doch keine Ahnung!

Natürlich hat sie die Hoffnung noch lange nicht aufgege-
ben. Es gibt ja noch andere Wege zum Fernsehen. Castings
zum Beispiel. Da kann man ganz schnell entdeckt und über
Nacht zum Star werden. Sie bewirbt sich immer wieder.
Irgendwann muss das doch klappen! 5

Inzwischen versucht sie, am Ball zu bleiben. Für einen
befreundeten Fotografen arbeitet sie manchmal als Model
für einen biederen Kaufhauskatalog, ab und zu ist sie Statistin in Fernsehproduktionen. Da sieht sie dann die
bekannten Schauspielerinnen aus nächster Nähe und wird 10
jedes Mal richtig neidisch. Mensch, das kann sie doch auch!
Und vielleicht sogar besser.

Das ist das Problem an diesen Jobs. Man ist so nah dran,
und doch so weit entfernt. Ein langer, harter Weg, und –
wenn sie an all die Kaufhauskatalog-Models und Fernseh- 15
Statistinnen dieser Welt denkt – vielleicht überhaupt kein
Weg.

Bleiben als Hoffnung die Castings, der Zufall und natürlich … Beziehungen. Kontakte. Vitamin B. Deshalb geht sie
auch zu jeder Vernissage, zu jeder Premiere und auf mög- 20
lichst viele Partys. Sehen und gesehen werden. Hat aber
alles noch nichts genutzt.

Offiziell studiert sie inzwischen Romanistik. Aber nur,
um einen Studentenausweis zu haben und ihre Eltern zu
beruhigen. In Wirklichkeit arbeitet sie dreimal pro Woche 25
als Kellnerin in einer Kneipe namens „Anapam", denn mit
ihren künstlerischen Jobs verdient sie ja fast nichts.

Der Laden ist ziemlich spießig, das Publikum total langweilig, etwa die Art von Leuten, die wohl auch ihre Klamotten aus diesem Kaufhauskatalog bestellen. Kein Ort für 30
wunderbare Zufälle. Die Arbeit macht überhaupt keinen
Spaß, aber Sissy braucht das Geld.

2

Der heutige Abend ist da schon eine Abwechslung. Zwar muss sie wieder kellnern, aber die „location" ist bedeutend spannender. Um nicht zu sagen: optimal.

5 Eröffnungsfeier der Münchner Filmfestspiele. Rote Teppiche, großer Empfang. Für eine offizielle Einladung haben ihre Kontakte nicht gereicht, aber immerhin für einen Job dort. Ihre Freundin Zilly, die für eine noble Feinkostkette arbeitet, hat ihr den organisiert.

10 „Stressig, aber für dich bestimmt megainteressant! Alle sind da, Regisseure, Schauspieler, Produzenten, die komplette Szene. All die Stars zum Anfassen, und nach ein paar Gläsern sind die auch ganz locker", hat ihr Zilly mit einem Augenzwinkern versprochen.

15 Mit dem „stressig" hat sie völlig recht gehabt, mit dem „locker" leider ein bisschen übertrieben. Den ganzen Abend ist Sissy mit ihrem Sekttablett durch die Menge gestolpert und hat charmant lächelnd volle Gläser unter arrogante Nasen gehalten. Aber die haben Sissy nicht ein-
20 mal angeschaut. Von „Danke schön" ganz zu schweigen.

Deshalb hat sich Sissy jetzt diese kleine Pause gegönnt, um sich mal kurz selbst an die Theke zu setzen. Für den Service ist das eigentlich verboten, aber Sissy ist ja eigentlich auch
25 gar keine Kellnerin. Stehen ihr der Barhocker und die Zigarette nicht viel besser als das idiotische Sekttablett? Und außerdem ... außerdem fällt das in dem Chaos hier sowieso nicht auf.

Das mit dem Barhocker hat offenbar auch der Herr
30 gefunden, der sich plötzlich neben sie gesetzt und gefragt hat, ob er ihr noch einen Sekt reichen darf.

„Gerne", hat sie überrascht geantwortet, und schon hatte sie ein Glas in der Hand. Und dann ... dann hätte sie sich beinahe verschluckt.

35 „Otter", hatte der Typ gesagt, „Prost!"
Otter? Otter!

Werner Otter, der bekannte Regisseur! Das (nicht mehr ganz junge) wilde Genie unter den deutschen Filmemachern! Wie oft hatte sie den Namen schon gelesen! Werke von ihm gesehen! Oberste Kategorie!

Natürlich hat sie sich ihn ganz anders vorgestellt. Aber sie hat ihn ja auch noch nie gesehen, nicht einmal auf einem Foto in der Zeitung.

Und der sitzt jetzt plötzlich neben ihr, offenbar gelangweilt von diesem ganzen Schickimicki-Getue hier, und will sich mit ihr unterhalten. Ausgerechnet mit ihr! Das ist ihre Chance! Jetzt bloß keinen Fehler machen ...

3

„Otter? Echt?"

Er lächelt milde.

„Ja, echt Otter."

Okay, der Anfang war nicht ganz optimal. Aber dann läuft es. Richtig gut! Der Mensch Otter ist ein total netter Typ, ganz normal und überhaupt kein Angeber oder so. Keiner von der Sorte, der Fragen nur mit einem gelangweilten Ja oder Nein beantwortet. Oder mit langen Ego-Geschichten prahlt.

Nein, ganz anders! Otter stellt selber Fragen, er interessiert sich ... für sie!

Er lässt sie erzählen und Sissy erzählt ihm. Alles. Alles von der Babyreklame über den Schauspielschulskandal bis zur Kaufhauskatalogkatastrophe.

Otter kann richtig zuhören, ab und zu nickt er verständnisvoll.

„Verstehe", „klar", „logisch", „sicher", flüstert er immer wieder, ohne Sissy zu unterbrechen. Nur beim „Anapam" ruft er schon fast empört: „Mensch, Sissy, dafür bist du doch wirklich viel zu schade!"

Ja, ganz genau, denkt Sissy euphorisch. Genau das wollte sie hören. Von einem wie ihm. Ja, er versteht sie. Das spürt Sissy vom ersten Moment an. Fehlt nur noch …

5 Schließlich erzählt auch er noch ein bisschen. Allerdings nur in Andeutungen. Dass er die Szene hier natürlich mehr als gut kennt und dass er gerade ein neues Projekt vorbereitet. Große Sache, international. Aber psst!, alles noch ein Geheimnis.

Sissy hält die Luft an.

10 Und dass er da auch neuen Leuten eine Chance geben will. Er brauche dafür frischen Wind, unverbrauchte Talente. Neue Gesichter. Gesichter, wie sie eines hat.

Bitte, bitte, denkt Sissy, und dann kommt tatsächlich der Satz, auf den sie so lange, jahrelang, ein Leben lang gewar-
15 tet hat.

„Wenn dich das interessiert, melde dich doch nächste Woche bei mir. Wir fangen jetzt gerade mit der Auswahl an. Ich glaube, ich habe da was für dich. Was auf deinem Niveau."

20 Lächelnd steht er auf und gibt ihr seine Karte.

„Tut mir leid, ich muss jetzt. Ich bin ja vor allem beruflich hier. Noch mehr Small Talks, noch mehr Statements, noch mehr Bussi-bussis. Ach Gott! Naja, die warten sicher schon auf mich. Also ciao, ruf mich an!"

25 „Klar, sicher, logisch", haucht Sissy und sieht, wie er – nach links und rechts grüßend – in der Menge verschwindet.

Erst dann wagt sie, auf die Visitenkarte zu blicken:

Sönke Otter, Otters Food Solutions, Catering-Service international.

30

Die Fantasien
des Herrn Röpke

1

⁵ Herr Röpke wacht auf und sieht auf die Uhr. Mein Gott, schon so spät. Er springt aus dem Bett, geht kurz ins Bad und zieht sich schnell an. Anzug, Krawatte, wie immer. Freitag, wenigstens fast Wochenende. Nur noch ein Tag. Aber was für einer. Vormittags die Besprechung mit dem ¹⁰ Chef, nachmittags der Vortrag über „Globalisierung als Marktchance". Obligatorische Fortbildung für alle leitenden Angestellten. Ja, toll! Schnell noch einen Kaffee und einen Blick in die Zeitung. Sport, Verschiedenes, das Fernsehprogramm.

¹⁵ Auf der Treppe die alte Nachbarin. Tag, Frau Schmitz, Tag Herr Röpke.

Draußen regnet es. An der Haltestelle muss er über zehn Minuten warten, bis der Bus endlich kommt. Linie 35, er steigt ein, eine Bank ist noch frei, wenigstens ein Sitzplatz.

²⁰ Was für ein Leben, denkt er, raus und rein, rauf und runter, hin und her …

Er setzt sich, links die Mappe, rechts der Regenschirm. Er ist noch müde, er schließt die Augen, öffnet sie wieder, auf, zu, auf, zu …

²⁵

Plötzlich sitzt er am Meer. Genauer gesagt, er liegt an einem Swimmingpool über dem Meer. Was für ein Panorama! Der endlose Strand, Palmen, der Horizont zwischen dem dunkelblauen Meer und dem hellblauen Himmel, die strahlende ³⁰ Sonne. Ein neuer Tag, ein Tag voll neuer Möglichkeiten.

Er liegt in einem weißen Liegestuhl, links ein FruchtCocktail, rechts eine Flasche Sonnencreme, Schutzfaktor 35. Er dreht sich um. Um den hellblauen Swimmingpool noch mehr weiße Sonnenstühle mit braungebrannten Gäs³⁵ ten, Kellner in weißen Jacketts. Hinter der Bar das Hotel, „Sunbeach Tropical", jedes Zimmer mit Balkon, alle mit

Meerblick. Meerblick, die warme Sonne auf seinem Gesicht, langsam schließt er wieder die Augen.

„Ist hier noch frei?", hört er die Stimme einer Frau.

„Ja", sagt er, „bitte …"

Er rückt auf die Seite, die Frau setzt sich neben ihn. Der Bus stoppt, fährt wieder los, stoppt, fährt wieder los. Herr Röpke blickt aus dem Fenster. Draußen diese triste Stadt, alles grau. Leute, die in die Arbeit hasten. Alle Gesichter gleich. Eine Armee von Zombies.

„Herr Röpke, Sie sind doch Herr Röpke, nicht wahr?"

Die Frau sieht ihn plötzlich an. Er hat die Frau noch nie gesehen. Bestimmt nicht.

„Erinnern Sie sich nicht? Am Montag, bei der Präsentation, ich bin die neue Mitarbeiterin. Malsen. Franziska Malsen."

„Ach ja", sagt Herr Röpke.

Oh nein, denkt Herr Röpke, auch das noch! Eine Kollegin, dann beginnt die Arbeit schon im Bus. Er hasst das. Er braucht die Busfahrt, um aufzuwachen. Das ist seine persönliche Meditationsphase. Und jetzt das … muss das sein?

Kann er nicht wenigstens diese halbe Stunde im Bus seine Ruhe haben?

„Ist hier noch frei?"

„Natürlich Schatz, setz dich."

Seine Frau, mit einem Turban aus ihrem Handtuch um den Kopf, legt sich in den Liegestuhl neben ihm.

„Ist das nicht herrlich, Liebling? Wieder 35 Grad. Schon drei Tage 35 Grad."

„Ja, Schatz, wunderbar."

„Schau mal, wie braun ich schon geworden bin."

Er sieht zu ihr. Sie sieht wirklich toll aus, ganz braun. Dazu der Turban, die Sonnenbrille, der weiße Bikini, die Zigarette. Der Swimmingpool, die Bar, das Hotel. Der Strand, die Palmen, das Meer. Wo hat er das schon mal so gesehen? Bei James Bond. Genau, alles wie in einem James-Bond-Film.

Herr Röpke sieht kurz zu seiner Nachbarin. Sie ist sehr
5 blass, trägt eine Mütze und hat den Mantelkragen hochge-
stellt. Na ja, vielleicht. Vielleicht hat er sie wirklich schon gesehen, in der Besprechung am Montag.
„Wissen Sie, ich freue mich auf den Job. Außerdem bin ich neu hier in der Stadt. Das ist alles sehr aufregend für
10 mich. Fast wie ein Film."
„Verstehe", sagt Herr Röpke. „Klar."

„Das Yoga war herrlich, das tut so gut. Vielleicht gehe ich nachher noch mal hin. Oder zum Surfen. Oder zum Reiten.
15 Oder zum Tauchen. Ach, es gibt so viele fantastische Mög-
lichkeiten. Was machst du heute, Schatz, hast du schon was vor?"

„Fahren Sie immer mit diesem Bus?"
20 Oh nein, denkt Herr Röpke, bitte nicht …
„Nun ja, ab und zu, ich meine manchmal, das heißt eigentlich öfter …"
„Schade", sagt sie, „ich werde wohl normalerweise später fahren, ich muss erst um neun anfangen."
25 „Wie gut", sagt Herr Röpke, „ich meine, wie schön für Sie."
„Heute fahre ich früher, wir haben doch diese Bespre-chung mit Herrn Keiler."
Mein Gott, denkt Herr Röpke, diese nervige Besprechung beim Chef! Die hat er inzwischen ganz vergessen. Doch
30 nicht so schlecht, so eine Kollegin im Bus.
„Kommen Sie auch?"
„Klar", sagt er, „ich bin auch da. Ich muss ja da sein."

„Ich glaube, ich bleibe noch ein bisschen liegen und ruhe
35 mich aus, und nachher mache ich vielleicht ein kleines Tennismatch."

„Gute Idee, großartig, und mit wem?"

„Mit dem Keiler, der will heute noch mal spielen."

Sie beugt sich über ihn und gibt ihm einen Kuss auf die Stirn.

„Ich bin so stolz auf dich, Schatz, bestimmt gewinnst du wieder."

3

Die Besprechung ist heute ein bisschen anders als sonst. Keiler, der alte Diktator, ist natürlich wie immer. Unzufrieden, nichts passt ihm, alle müssten mehr arbeiten, mehr Identifikation mit der Firma usw. Immer das Gleiche. Dann erklärt er die Strategie für die nächsten Wochen. Arbeiten, arbeiten, arbeiten. Auch nichts Neues. Röpke ist nicht einverstanden, aber er sagt nichts. Wie immer.

Aber Frau Malsen sagt etwas. Sie findet die Methoden altmodisch und ineffizient. Sie kritisiert den Chef, sie widerspricht ihm!

Nicht schlecht, die Neue, findet Röpke. Ganz schön frech! Und wie der Keiler schaut. Das hat der nicht erwartet. So macht die Besprechung richtig Spaß. Und wie praktisch, denkt Röpke, er selbst muss kein Wort sagen. Er ist immer noch verdammt müde.

„Na, wie war dein Match, Liebling?"

„Ganz nett", sagt er und lässt sich wieder in den Liegestuhl fallen.

„Aber der Keiler ist kein Gegner für mich. So eine Flasche! Ich habe ihn fertiggemacht."

„Bravo! Möchtest du noch was trinken? Du musst noch was trinken. Noch mal so einen Tropic-Vitamin-Mix?"

„Warum nicht, und einen Kaffee bitte."

„Also tschüss dann", brummt Herr Röpke nach der Besprechung und will noch schnell zum Kaffeeautomaten.

„Ich möchte Sie nicht nerven", sagt Frau Malsen, „aber ich hätte noch so viele Fragen. Zum Büro, zu den Computern. Haben Sie vielleicht heute Mittag noch mal ein paar Minuten? Da wäre ich Ihnen sehr dankbar."

5 Herr Röpke zögert.

„Ich weiß nicht, da ist eigentlich kaum Zeit, da bin ich in der Kantine."

„Aber vielleicht könnten wir da zusammen essen."

„Ähmm, nun, ich meine ..."

10 „Um eins? Ist das okay für Sie? Also, bis nachher!"

Röpke will noch etwas sagen, aber sie ist schon weg. Seufzend geht er in sein Büro, nimmt einen Schluck Kaffee und sieht aus dem Fenster.

15 Dieser Blick! Herr Röpke nimmt noch mal einen Schluck Kaffee und lehnt sich zurück. Das blaue Meer, der blaue Himmel, der endlose Strand, der weite Horizont. Sein Blick wandert weiter, über die weiße Terrasse zum hellblauen Swimmingpool. Eine Frau schwimmt gerade. Sportlich,
20 schnell. Aber sie ist ganz blass.

Moment mal, ist das Frau Malsen? Was macht die denn hier? Herr Röpke reibt sich die Augen.

Nein, die Frau sieht ihr ähnlich, aber sie ist es nicht. Das wäre ja noch schöner!

25 Seine Frau schiebt sich die Sonnenbrille in die Haare.

„Ach Schatz, ich freue mich schon so aufs Mittagessen. Heute ist Neptun-Tag. Meeresfrüchte bis zum Abwinken. Muscheln, Krabben, Tintenfische, so viel du willst. Ist das nicht herrlich?"

30 „Ach ja?", murmelt Herr Röpke, „ist heute nicht dieser O-sole-mio-Tag mit den Nudeln?"

„Nein, Schatz, der kommt übermorgen."

„Ach ja, stimmt. Fisch ist natürlich auch klasse."

„Das finde ich auch, und es passt auch besser zu meinem
35 Yoga. Wann sollen wir essen, so um eins?"

„Prima, Schatz, ausgezeichnet."

4

Das Mittagessen war eigentlich ganz nett gewesen. Das
Essen selbst war natürlich mies wie immer, aber die neue
Kollegin ist wirklich ganz sympathisch. Sogar attraktiv. Das
bemerkt er erst jetzt. Im Bus hatte sie diese komische   5
Mütze auf, und in der Besprechung saß er hinter ihr.

Er hat ihr gratuliert. Das mit dem Chef, das hat sie wirklich gut gemacht.

„Ach was", hat sie geantwortet, „ich habe doch nur
meine Meinung gesagt."   10

Interessante Frau. Sie haben sich ganz gut unterhalten.
Nicht nur über die Arbeit. Sie hat von ihrem Umzug erzählt
und von ihren ersten Eindrücken hier in der Stadt. Sie hat
ihn zumindest nicht genervt.

15

Das Mittagessen ist wieder unglaublich gewesen. All inclu-
sive. Sie haben fast zwei Stunden nur gegessen und getrun-
ken. Zuerst der Aperitif, dann vom Vorspeisenbüfett, dann
die Salate, dann die Hauptgerichte. Dann Eis, Früchte,
Kaffee, Likör. Gegessen und gegessen. Ständig Kellner mit   20
ihren Tabletts. Man kann nicht Nein sagen. Jetzt braucht
Herr Röpke unbedingt eine Siesta.

„Vielen Dank", hat Frau Malsen gleich nach dem Essen
gesagt, „ab jetzt lasse ich Sie in Ruhe. Ich habe Sie genug   25
belästigt."

„Aber ich bitte Sie", hat er galant geantwortet, „wirklich
gerne geschehen."

Sie lächelt. „Also bis nachher, zum Vortrag."

Ach ja, der Vortrag! Den hätte er jetzt auch fast verges-   30
sen. Er sieht auf die Uhr. Viertel nach zwei. Der Vortrag ist
erst um drei. Mit der Arbeit anzufangen lohnt sich kaum.
Er sperrt seine Bürotür von innen ab, setzt sich auf seinen
Sessel und schließt die Augen.

„Was machst du heute Nachmittag?", fragt seine Frau,
„nach so einem Essen muss man etwas Sport machen. Ich
glaube, ich gehe nachher wieder zum Bogenschießen. Die
Leute vom Yoga kommen auch. Die Gruppe ist fantastisch,
5 so viele nette Leute. Kommst du heute mal mit? Du woll-
test doch mal mitkommen."

„Stimmt, aber nicht heute."

„Hast du schon was vor?"

„Nö, eigentlich nicht. Aber ich glaube, ich bleibe hier
10 noch ein bisschen liegen. Das tut so gut, hier in der Sonne.
Und nachher vielleicht ein bisschen schwimmen oder so."

„Na, wie du meinst, Liebling. Du bist ja frei. Wir können
beide machen, was wir wollen. Ist das nicht herrlich?"

„Ja, paradiesisch."

15

Der Vortrag ist natürlich langweilig. Das war ja klar. Herr
Röpke sitzt in der vorletzten Reihe und gähnt. Wo ist
eigentlich Frau Malsen? Er kann sie nirgends sehen.
Schade eigentlich, denkt er. Mit ihr könnte er jetzt wenigs-
20 tens ein wenig flüstern.

Plötzlich klopft ihm jemand auf die Schulter. Langsam
dreht er sich um.

„Du warst ja gar nicht schwimmen", sagt seine Frau.

25 „Nein, ich war zu müde. Das Tennisspiel und das Essen …"

„Verstehe ich, Schatz, bleib ruhig noch ein bisschen liegen und ruh dich aus. Möchtest du noch was trinken?
Einen Cocktail oder so?"

„Nein danke, ich glaube, ich schlafe noch ein wenig."

30 „Mach das, Liebling, mach das."

5

Jemand klopft ihm auf die Schulter.
35 „Herr Röpke?", flüstert eine Stimme.
Er dreht sich um.

„Frau Malsen!"

Sie sitzt genau hinter ihm.

„Herr Röpke, kommen Sie …", sagt sie leise und steht auf.

Was? Wie? Frau Malsen steht schon an der Tür und gibt ihm ein Zeichen. Er steht auf und folgt ihr. Draußen auf dem Gang lächelt sie.

„Verzeihen Sie, Herr Röpke, aber ich finde den Vortrag ziemlich langweilig, und Sie sehen ja auch nicht sehr begeistert aus. Da habe ich gedacht, vielleicht haben Sie auch Lust auf einen Kaffee …"

„Ja aber", stottert er, „das geht aber eigentlich nicht, ich meine … der Keiler und so …"

„Bitte, das merkt doch kein Mensch. Fünf Minuten und wir sind wieder zurück. Nur ganz kurz, in der Kantine."

„Kantine? Auf gar keinen Fall!", sagt Herr Röpke, „das geht überhaupt nicht. Wenn uns da jemand sieht."

„Ach kommen Sie, bitte, bitte …"

Herr Röpke lehnt sich an die Wand und atmet tief durch. Plötzlich ist alles kompliziert. Warum muss alles immer gleich so kompliziert werden?

„Schatz, machen wir einen kleinen Spaziergang? Hast du Lust?"

„Warum nicht? Wohin möchtest du gehen?"

„Ach, einfach ein bisschen am Strand entlang. Bis zu dem Café hinten. Da können wir was trinken und vielleicht einen Kuchen essen und dann laufen wir wieder zurück. Das wird uns guttun, und danach gibt es ja auch schon bald wieder Abendessen. Komm, Schatz, gib mir deine Hand."

„Warten Sie mal", hört sich Herr Röpke sagen, „ich habe da eine Idee."

Plötzlich hält er Frau Malsens Hand in seiner Hand und öffnet eine Hintertür: die Treppe zur Tiefgarage. Sie gehen durch das dunkle Parkhaus und kommen so an die schmale

Straße hinter der Firma. Gegenüber ist ein kleines Café. Mein Gott, wie lange ist er hier schon nicht mehr gewesen. Er hält ihre Hand immer noch in seiner Hand.

„Na also", lächelt sie, „das ist ja noch viel besser."

5   Wenn das mal gut geht, denkt er.

„Schön, das Café, nicht wahr?"

„Ja, Schatz, sehr schön."

„Und die Torte, ganz hervorragend."

10   „Stimmt, wirklich klasse."

„Und diese Ruhe! Herrlich! Und immer wieder diese wunderbare Aussicht. Der Strand, das Meer, der Himmel …"

„Paradiesisch, absolut paradiesisch."

15   Sie lächelt. „Ich gehe mal schnell auf die Toilette. Bestellen Sie mir schon mal einen Kaffee?"

„Gerne", antwortet er und setzt sich. Sie kommt noch einmal zurück.

„Oder warten Sie. Keinen Kaffee, sondern ein Glas Sekt."

20   Sie sieht ihn an, mit ihrem fröhlichen Lächeln. „Nein, zwei Gläser Sekt."

Er sieht ihr nach. Auch das noch! Alkohol während der Arbeitszeit. Wenn jetzt der Keiler kommt, oder ein Kollege! Dann sitzen sie in der Tinte. Dann gibt es richtig Zoff.

25

6

„Sag mal, Schatzi, hast du schon eine Idee für heute Abend?"

30   „Ich weiß nicht …"

„Ich habe eine: Die Animateure spielen ‚Cats'. Das Musical. Ist das nicht wunderbar?"

„Schon wieder?"

„Ja, sie spielen es noch mal, weil es vorgestern so erfolg-

35   reich war."

„Ich weiß nicht."

40

„Komm, es hat dir doch so gefallen. Oder hast du vielleicht schon was anderes vor?"

„Nein, nicht, ich meine …"

„Na also. Dann ist doch schon alles klar."

Aber spannend ist das natürlich. Richtig abenteuerlich. Die
Malsen überrascht ihn, das muss er zugeben. Die ist richtig
gut drauf. Das gefällt ihm. Und der Keiler? Der Keiler soll
ihm doch den Buckel runterrutschen!

„Sagen Sie mal, haben Sie heute Abend schon was vor?"

„Heute Abend?", fragt Herr Röpke, „keine Ahnung, ich
weiß noch nicht …"

Frau Malsen lächelt, nippt an ihrem Glas und lehnt sich
vor.

„Wissen Sie, ich koche sehr gerne. Nichts Großartiges, nur
Pasta oder so. Aber alleine mit meiner Katze, da macht das
keinen Spaß. Aber ich kenne ja niemanden hier. Und Sie
wohnen doch ganz in der Nähe. Wir sind praktisch Nach-
barn. Vielleicht haben Sie ja Zeit und Lust vorbeizukommen."

„Ja", hört sich Herr Röpke sagen, „warum eigentlich
nicht. Ich bringe eine Flasche Wein mit. Einen richtig guten
Rotwein."

„Na also", strahlt sie, „dann sagen wir um acht?"

„Acht Uhr ist perfekt."

Potz Blitz, denkt Herr Röpke, ein Rendezvous, ein richti-
ges Rendezvous! So plötzlich! Na ja, und nach dem Essen
könnte er sie ins Kino einladen. Oder in eine Bar. Oder bei-
des. Vorsichtig hebt er sein Glas.

„Also dann, auf unsere kleine Flucht, Frau Malsen, und
auf heute Abend. Prost!"

„Na also", sagt seine Frau.

„Zuerst das Büffet, dann das Musical und dann tanzen.
Das Orchester wird hier draußen auf der Terrasse spielen.
Moonlight dance. Das wird sicher großartig."

„Ja", flüstert Herr Röpke, „ganz bestimmt."

Herr Röpke sieht auf die Uhr. Halb acht. Noch Zeit. Er hat sich noch einmal aufs Bett gelegt. Zehn Minütchen, das geht noch. Er hat sich gut angezogen. Das beste Hemd, die beste Hose. Das Jackett. Blick in den Spiegel. Alles perfekt.
5 Er hat sich sogar noch einmal rasiert und natürlich geduscht. Er ist ein bisschen müde. Augen auf, Augen zu. Sekundenschlaf. Er nimmt das Fläschchen vom Nachttisch und tupft sich noch etwas Parfüm hinter die Ohren. Dann steht er auf. Aber er geht noch nicht. Er denkt an die kleine
10 Küche, die Pasta, den Rotwein und das Lächeln von Frau Malsen. Wie wunderbar! Er tritt auf den Balkon und sieht hinunter.

Der Swimmingpool, die Palmen, der Strand. Musik von der
15 Terrasse. Gleich beginnt das Abendbüffet. Mit Tombola. Dann das Musical. Zum Mitsingen. Dann die Tanzband. Zum Mittanzen.

Herr Röpke sieht hinaus auf das weite blaue Meer unter dem endlos blauen Himmel mit seinen ewigen Sternen.
20 Wann, zum Kuckuck, denkt er, ist dieser schrecklich langweilige Cluburlaub endlich zu Ende. Noch acht Tage? Noch zehn Tage?

Worterklärungen

Das Paar

S. 6 **sich nicht viel zu sagen** kaum noch miteinander sprechen
      haben *(z. B. in einer Beziehung)*
      das Weizen, - Abkürzung für: Weizenbier
      jede Wette sagt man, wenn man sich ganz sicher ist
      (umgangssprachlich)
      flüstern sehr leise sprechen
      Pommes *(Pl.)* Pommes frites
      (umgangssprachlich)
      zumindest wenigstens
      beschäftigt sein *hier:* gerade etwas tun
S. 7 **was machen** etwas unternehmen
      (umgangssprachlich)

S. 8 **zwinkern** ein Auge kurz schließen und wieder öffnen
       und so jemandem ein Zeichen geben
      der Komplize, -n Helfer, Mitwisser eines Verbrechers
      glotzen dumm gucken

Die Leere des Klassenzimmers

S. 11 **der Streber, -** extrem fleißiger und egoistischer Schüler
      die Klappe halten still sein, nicht mehr sprechen
      (umgangssprachlich)
      der Brunch, -e/(e)s langes und reichhaltiges Frühstück, welches
       das Mittagessen ersetzt
       (englisch „breakfast" + „lunch" = brunch)

      der Boykott, -s Nichtbeachtung, Weigerung
      die Chemie im Kurs *hier:* die Stimmung im Kurs
      zäh langsam, mit Mühe
      gespenstisch unheimlich, drohend, Angst machend
S. 12 **der Albtraum, ¨e** schrecklicher Traum, Angsttraum

	jemanden fertigmachen *(umgangssprachlich)*	jemanden beleidigen, besiegen
S. 13	**die Schande** *(Sg.)*	sehr unangenehme Sache, Skandal
	die Schadenfreude *(Sg.)*	wenn man sich über das Unglück eines anderen freut
	der Korridor, -e	Flur
	die Arme verschränken	die Arme vor dem Oberkörper überkreuzen
	stottern	nicht flüssig sprechen
	heulen	laut weinen
	die Nervensäge, -n	Person, die oft anstrengend ist und einem auf die Nerven geht
	kapieren *(umg.spr.)*	verstehen
	konspirativ	heimlich
S. 14	**in den höchsten Tönen loben**	sehr positiv von etwas oder jemandem sprechen

Liebste Evi

S. 16	**spekulieren**	etwas vermuten
	fabulieren	Geschichten erfinden, fantasievoll erzählen
	winzig	sehr klein
	die Studentenbude *(umgangssprachlich)*	ein kleines Studentenzimmer
	plaudern	sich unterhalten
S. 17	**meine Küche**	*hier:* was und wie ich koche
	die Seifenoper, -n	„Soap-opera", „Telenovela" *(kitschige Fernsehserie)*
	goldig	*(figurativ)* süß, reizend
	das Gulasch, -e	ungarisches Gericht mit Fleisch und Paprika
	das Apfelkompott, -e	mit Zucker gekochte Äpfel
	turbulent	sehr unruhig
	eifersüchtig sein	wenn man jemanden für sich allein haben möchte
	flöten	*hier:* mit süßer Stimme sprechen
S. 18	**neidisch sein**	wenn man mit jemandem tauschen oder das Gleiche haben möchte wie er/sie und es nicht bekommt

die Soap, -s	die Soap-opera *(siehe oben)*
der Teletraum, ̈-e	*Wortschöpfung des Autors:*
	Telenovela zum Träumen
der Apfelschaum, ̈-e	leichtes Apfeldessert
der Baggersee, -n	ein künstlicher See, der mit Baggermaschinen
	gemacht wurde
das Märchenschloss, ̈-er	ein wunderschönes Schloss
jemanden auf Händen	jemanden sehr gut behandeln und für
tragen	ihn/sie sorgen

Umtauschen

S. 22	praktisch alles	fast alles
	zustimmend	jemandem recht gebend; einverstanden sein
	das Schnäppchen, -	sehr preiswertes Angebot
	prächtig	toll, prima
	der Riesenzoff *(Sg.)*	großer Krach, Streit
	(umgangssprachlich)	
	der Kassenbon, -s	Papier, das der Käufer an der Kasse bekommt
	das Mistding, -er	doofe Sache, schlechtes Gerät
	(umgangssprachlich)	
S. 23	sein eigenes Wort nicht	wenn es so laut ist, dass man sich selbst
	verstehen	nicht mehr hören kann
	der Stummfilm, -e	ein Film ohne Ton
	fernglotzen *(umg.spr.)*	fernsehen *(negativ gemeint)*
	dahocken *(umg.spr.)*	auf einem Stuhl/Sofa sitzen und
		nichts tun
	nerven *(umg.spr.)*	stören
	die Augen verdrehen	mit dem Blick zeigen, dass man mit etwas
		nicht einverstanden ist
S. 24	brüllen	sehr laut rufen, schreien
	ekelhaft	sehr unangenehm
	„schwuppdiwupp"	sehr schnell
	(umgangssprachlich)	
	genügen	ausreichen, genug sein

Sissys Chance

S. 26 **den Atem anhalten**   für kurze Zeit keine Luft holen,
figurativ: sehr gespannt oder erschreckt sein

um jeden Preis   *(figurativ)* auf jeden Fall

zumindest   wenigstens

die schönen Künste   Musik, Tanz, Malerei, Literatur, Theater

putzig   niedlich, süß

trockenes Baby   ein Baby, das nicht mehr in die Hose macht

die Windelreklame, -n   eine Werbung für Windeln

die Windel, -n   Tuch oder Stück Kunststoff, das um den Po eines Babys gebunden wird

Städtische Sparkasse, -n   Bank

elitär   zu den Besten gehörend; abgehoben

„das klassische Repertoire"   alle klassischen Stücke im Programm eines Theaters

S. 27 **das Casting, -s** *(englisch)*   Termin zum Vorsprechen/ Vorspielen/Vortanzen für Theater oder Film

am Ball bleiben   nicht aufhören, etwas zu versuchen

bieder   brav, ordentlich

der Statist, -en/ die Statistin, -nen   tritt im Theater/Film nur kurz auf und spricht keinen Text

Vitamin B *(umg.spr.)*   B = Beziehung(en); Vitamin B = wenn man Beziehungen und Kontakte nutzen kann (v. a. für die Karriere)

die Vernissage, -n   Eröffnung einer Kunstausstellung

sehen und gesehen werden   überall dabei sein, von allen (wichtigen Menschen) gesehen werden wollen

die Romanistik *(Sg.)*   Studienfach (französ., span., italien. und andere Sprachen und Literaturen)

spießig *(umg.spr.)*   intolerant, nicht sehr gebildet
(für Sissy sind spießige Leute das Gegenteil von Künstlern)

die Klamotten *(Pl.)* *(umgangssprachlich)*   Kleider

S. 28 **bedeutend**   sehr viel

der Empfang, ¨-e	*hier:* Feier, Fest
immerhin	wenigstens
die Feinkostkette, -n	eine Firma, die viele Geschäfte mit Luxus-Lebensmitteln hat
megainteressant *(umgangssprachlich)*	sehr interessant
das Augenzwinkern *(Sg.)*	ein Auge kurz schließen und so jemandem ein Zeichen geben
übertreiben – übertrieb – übertrieben	etwas besser oder schlechter machen, als es in Wirklichkeit ist
stolpern	fast über etwas fallen
davon ganz zu schweigen	darüber brauchen wir gar nicht zu reden
sich etwas gönnen	sich etwas Gutes tun
die Theke, -n	die Bar in einer Kneipe/in einem Restaurant
der Service *(englisch)*	das Personal, die Kellner/innen
jemandem etwas reichen	jemandem etwas geben
beinahe	fast
sich verschlucken	Die Flüssigkeit, die beim *Schlucken* in den Magen transportiert werden soll, kommt in die Atemwege und man muss husten.
S. 29 das Schickimicki-Getue *(umgangssprachlich)*	wenn besonders schick gekleidete Leute sich sehr, sehr wichtig finden
stottern	nicht flüssig sprechen
mild(e)	sanft, weich
der Angeber, -	jemand, der sich wichtig tut
die Sorte, -n	Art
prahlen	angeben, sich wichtig tun
empört	wenn man mit etwas nicht einverstanden ist und dagegen protestiert
zu schade für etwas sein	etwas Besseres verdient haben
S. 30 die Andeutung, -en	kurzer Hinweis
die Luft anhalten	nicht weiter atmen
frischer Wind *(figurativ)*	etwas Neues
unverbraucht	neu
das Talent, -e	die Begabung, etwas sehr gut können

der Small Talk, -s *(englisch)*		kurze, flache Unterhaltung
das Statement, -s *(englisch)*		(öffentliche) Feststellung, Behauptung
das Bussi-bussi, -s *(umgangssprachlich)*		Küsschen auf die Wange zur Begrüßung
hauchen		ohne Stimme sprechen

Die Fantasien des Herrn Röpke

S. 32	**die Krawatte, -n**	Kleidungsstück für Männer, das man um den Hals gebunden zum Anzug trägt
	die Besprechung, -en	Gespräch mit Kollegen und/oder Chef über fachliche Fragen
	obligatorisch	wenn man etwas tun *muss*
	die Fortbildung, -en	Kurse, die man in seinem Fachgebiet macht, um Neues zu lernen
	der/die leitende Angestellte, -n	jemand, der in führender Position bei einer Firma arbeitet; Chef/in
	die Mappe, -n	flache Tasche für Papier
	das Panorama, die Panoramen	Rundblick in die Landschaft
	der Schutzfaktor, -en	Zum Schutz vor der Sonne benutzt man Creme mit (Licht)schutzfaktor
S. 33	**hasten**	schnell gehen, eilen
	der Zombie, -s *(englisch)*	lebende Leiche
	die Mitarbeiterin, -nen	weibliche Angestellte
	die Meditationsphase, -n	Zeit zum Meditieren
	der Turban, -e	um den Kopf gebundenes Tuch
S. 34	**ab und zu**	von Zeit zu Zeit, manchmal
S. 35	**passen**	*(figurativ)* gefallen
	ineffizient	mit wenig Wirkung
	verdammt müde *(umgangssprachlich)*	sehr müde
	die Flasche , -n *(umgangssprachlich)*	Idiot, Versager

	brummen	leise, undeutlich und tief sprechen
S. 36	**zögern**	mit der Reaktion unentschieden warten
	seufzen	tief und laut ausatmen
	der Schluck, -e	eine kleine Menge Flüssigkeit, die vom Mund in den Magen kommt
	„das wäre ja noch schöner!"	*Ausruf der Ablehnung:* Das kommt nicht infrage! Auf keinen Fall!
	die Meeresfrüchte	kleine Meerestiere (z. B. Krebse und Muscheln)
	bis zum Abwinken *(umgangssprachlich)*	bis man nicht mehr kann, bis es genug ist
	murmeln	undeutlich sprechen
S. 37	**mies**	schlecht
	jemanden nerven *(umgangssprachlich)*	jemanden stören
	unglaublich	*hier:* fantastisch
	All inclusive *(englisch)*	bei Reiseveranstaltern bedeutet „alles inklusive", dass man nichts extra bezahlen muss
	das Vorspeisenbüffet, -s	langer Tisch mit Vorspeisen zum Selbstbedienen
	ständig	immer, ohne Pause
	jemanden belästigen	jemanden stören, jemandem unangenehm sein
	galant	höflich, rücksichtsvoll
S. 38	**das Bogenschießen** *(Sg.)*	eine Sportart *(Schießen mit Pfeil und Bogen)*
	gähnen	einatmen mit offenem Mund, wenn man sehr müde ist
	flüstern	sehr leise sprechen
S. 39	**begeistert**	mit großer Freude
	stottern	nicht flüssig sprechen
S. 40	**hervorragend**	ausgezeichnet, fantastisch
	der Sekt, -e	eine Art Wein *(ähnlich wie Champagner)*
	in der Tinte sitzen *(umgangssprachlich)*	ein Problem haben, in einer schlechten Lage sein

	der Zoff *(Sg.)* *(umgangssprachlich)*	Krach, Streit
S. 41	**gut drauf sein** *(umgangssprachlich)*	gute Laune haben
	jemand kann einem den Buckel runterrutschen	*(figurativ)* das, was jemand sagt oder will, ist einem völlig egal
	nippen	ein bisschen trinken
	strahlen	sehr froh und glücklich gucken
	Potz Blitz! *(umgangssprachlich)*	Ausruf der Überraschung (abgeleitet von „Gottes Blitz")
S. 42	**die Tombola, -s**	Bei Festen kann man dort manchmal etwas gewinnen
	zum Kuckuck! *(umgangssprachlich)*	Ausruf der Ungeduld

Übungen

Das Paar

A **Akkusativ oder Dativ? Kreuzen Sie an.**

a) sich gegenübersitzen
▪ Er sitzt ihr gegenüber.   ▪ Er sitzt sie gegenüber.

b) sich entscheiden
▪ Ich kann mir nicht   ▪ Ich kann mich nicht
entscheiden.   entscheiden.

c) sich sicher sein
▪ Du bist dir nicht sicher.   ▪ Du bist dich nicht sicher.

d) sich den Rest denken
▪ Ich kann mir den Rest   ▪ Ich kann mich den Rest
denken.   denken.

e) sich langweilen
▪ Du langweilst dir.   ▪ Du langweilst dich.

f) sich tief in die Augen sehen
▪ Sie sieht ihm tief in   ▪ Sie sieht ihn tief in
die Augen.   die Augen.

B **Finden Sie das Synonym und kreuzen Sie es an.**

a) beobachten
▪ verpassen   ▪ ignorieren   ▪ anschauen

b) offenbar
▪ offensichtlich   ▪ wahrscheinlich   ▪ vielleicht

c) flüstern
▪ leise sprechen   ▪ normal sprechen   ▪ laut sprechen

d) schweigen
▪ viel reden   ▪ wenig reden   ▪ gar nicht reden

e) zumindest
▪ momentan   ▪ wenigstens   ▪ scheinbar

Die Leere des Klassenzimmers

A Wie heißt das Gegenteil der folgenden Adjektive?

a) wunderschön _____

b) distanziert _____

c) todmüde _____

d) trist _____

e) komplett _____

f) fleißig _____

B Wie heißen die Präteritumformen der folgenden Verben?

a) kommen _____ gekommen

b) laufen _____ gelaufen

c) gehen _____ gegangen

d) sitzen _____ gesessen

e) sehen _____ gesehen

f) schlafen _____ geschlafen

g) stehen _____ gestanden

h) erfahren _____ erfahren

C Was bedeuten die folgenden Ausdrücke? Kreuzen Sie an.

a) die Klappe halten
   ▢ pausenlos reden   ▢ gar nichts sagen

b) eine Nervensäge
   ▢ eine nervöse Person   ▢ eine anstrengende Person

c) jemanden in höchsten Tönen loben
   ▢ sehr gut über   ▢ sehr schlecht über
   jemanden sprechen   jemanden sprechen

Liebste Evi

A Richtig oder falsch? Markieren Sie: R = richtig, F = falsch.

- a) Evi ist sehr gern in der Wohnung des Erzählers.
- b) Sie hasst Seifenopern im Fernsehen.
- c) Gern wäscht sie ihre Wäsche beim Erzähler.
- d) Sie besucht den Erzähler einmal pro Woche.
- e) Dann kocht sie auch gern für beide.
- f) Der Erzähler lädt Evi auch ins Kino, Restaurant und auf Konzerte ein.
- g) Die beiden planen eine Reise nach Paris.

B Überlegen Sie: Was könnte Evi dem Erzähler auf seine Fragen antworten?

_____

_____

_____

_____

_____

C Beantworten Sie die folgenden Fragen und kreuzen Sie an.

a) Was gefällt Evi am besten, wenn sie in der Wohnung des Erzählers ist?
   - die Waschmaschine
   - die Seifenoper im Fernsehen

b) Wie ist Evis Wohnung?
   - sehr klein
   - 3 Zimmer, Küche, Bad, Balkon

c) Wer kocht, wäscht, kauft ein und lädt ein?
   - der Erzähler
   - Evi

d) Wie findet Evi die Kollegen des Erzählers?
   - sympathisch
   - doof

Umtauschen

A Richtig oder falsch? Markieren Sie: R = richtig, F = falsch.

- a) Der Erzähler sitzt mit seiner Frau und deren Freundin am Esstisch und trinkt Kaffee.
- b) Seine Frau hat sich gar nicht über die Kaffeemaschine gefreut.
- c) Der Mann musste den Apparat umtauschen.
- d) Seine Frau ist sehr nett zu ihm.
- e) Sie würde ihren Mann nie umtauschen, selbst wenn das möglich wäre.

B Kreuzen Sie das richtige Synonym an.

- a) das Schnäppchen
  - ▨ kleiner Schnaps
  - ▨ sehr günstiges Angebot
- b) Schwuppdiwupp
  - ▨ sehr schnell
  - ▨ sehr langsam

C Ergänzen Sie die fehlenden Präpositionen.

- a) _____ ein Thema reden
- b) etwas _____ jemandem sagen
- c) sich _____ etwas unterhalten.
- d) jemanden _____ Ruhe lassen
- e) Geld _____ Konto abheben

D Die Geschichte beginnt mit dem Satz der Ehefrau: „Das ist schon sehr praktisch, dass man heutzutage alles umtauschen kann. Praktisch alles". Was kann man nicht einfach umtauschen?

E Stellen Sie sich vor, Sie sind ein sehr guter Freund des Paares. Was würden Sie den beiden raten, um ihre Beziehungsprobleme zu lösen?

Sissys Chance

A Richtig oder falsch? Markieren Sie: R = richtig, F = falsch.

- a) Sissy hat schon als Baby Reklame gemacht.
- b) Später ging sie auf die Schauspielschule.
- c) Manchmal arbeitet sie als Model oder Statistin.
- d) Seit sie Romanistik studiert, arbeitet sie nicht mehr als Kellnerin.
- e) Sie wird zur Eröffnung der Münchner Filmfestspiele eingeladen.
- f) Dort lernt sie einen netten Mann namens Otter kennen.
- g) Sie glaubt, dass er ein berühmter Regisseur ist.
- h) Am Ende bietet er ihr einen Job an.
- i) Da ist sie endlich: die Chance ihres Lebens.

B Was bedeuten folgende Ausdrücke? Kreuzen Sie das Synonym an.

a) um jeden Preis
  - unbedingt
  - so preiswert wie möglich

b) über Nacht zum Star werden
  - nachts berühmt werden
  - plötzlich berühmt werden

c) am Ball bleiben
  - eine Sache verfolgen
  - vor einer Sache davonlaufen

d) Vitamin B
  - Beziehungen
  - Beleidigungen

e) zu schade für etwas sein
  - sehr traurig über etwas sein
  - etwas Besseres verdient haben

C Bilden Sie die Komparativ- und Superlativformen folgender Adjektive.

a) groß   _____   _____

b) gut   _____   _____

c) hübsch _____ _____

d) klug _____ _____

e) hart _____ _____

f) gern _____ _____

D Wer oder was ist Sissys Chance? Und was passiert am Ende der Geschichte?

_____

_____

_____

Die Fantasien des Herrn Röpke

A Lesen Sie die Fragen und kreuzen Sie die richtige Antwort an.

a) Wo ist Herr Röpke wirklich?
▨ im Büroalltag   ▨ im Strandurlaub

b) An welchen Film erinnert Röpke die Atmosphäre am Strand?
▨ an „Der weiße Hai"   ▨ an einen James-Bond-Film

c) Wer traut sich, in der Besprechung mit dem Chef etwas zu sagen?
▨ Herr Röpke   ▨ Frau Malsen

d) Worauf freut sich Röpkes Frau beim Mittagessen?
▨ auf die Meeresfrüchte   ▨ auf die Nudeln

e) Wie findet Herr Röpke Frau Malsen beim Mittagessen in der Kantine?
▨ anstrengend   ▨ sympathisch

f) Was schlägt Frau Malsen Herrn Röpke während des Vortrags vor?
▨ schnell einen Kaffee zu trinken   ▨ schnell einen Tee zu trinken

g) Schließlich ändert sie ihre Meinung. Was bestellt sie?
☒ zwei Gläser Sekt   ☒ zwei Gläser Wein

h) Röpkes Frau schlägt als Abendprogramm ein Musical vor. Welches?
☒ „Das Phantom der Oper"   ☒ „Cats"

i) Frau Malsen lädt Herrn Röpke zum Abendessen ein. Wohin?
☒ in ein Restaurant   ☒ zu sich nach Hause

j) Am Ende der Geschichte hat Herr Röpke einen Wunsch. Welchen?
☒ Der Urlaub soll   ☒ Der Urlaub soll
   endlich beginnen.   endlich vorbei sein.

B Ergänzen Sie die fehlenden Präpositionen und Präfixe vom Anfang der Geschichte.

Herr Röpke wacht _____ und sieht ____ die Uhr. Mein Gott, schon so spät. Er springt ____ dem Bett, geht kurz ____ Bad und zieht sich schnell ____.

C Vervollständigen Sie folgende Ausdrücke.

a) raus und _____

b) rauf und _____

c) hin und _____

D Was bedeuten folgende Ausdrücke? Kreuzen Sie an.

a) bis zum Abwinken
☒ bis man gehen muss   ☒ bis man nicht mehr kann

b) das wäre ja noch schöner
☒ das kommt gar   ☒ das wäre wirklich besser
   nicht infrage

c) in der Tinte sitzen
☒ ein Problem haben   ☒ sich schmutzig machen

d) jemandem den Buckel runterrutschen
- ▨ völlig egal sein
- ▨ sehr wichtig sein

e) zum Kuckuck
- ▨ sagt man, wenn man froh ist
- ▨ sagt man, wenn man ungeduldig ist

E Realität und Fantasie vermischen sich in der Geschichte. Welche der folgenden Wörter finden sich in beiden Welten? Kreuzen Sie an.

- ▨ Frucht-Cocktail
- ▨ 35
- ▨ Zombies
- ▨ Herr Keiler
- ▨ Kaffee
- ▨ Tiefgarage

F Welche der folgenden Wörter bezeichnen eine Sportart? Kreuzen Sie an.

- ▨ Yoga
- ▨ Surfen
- ▨ Reiten
- ▨ Rauchen
- ▨ Tauchen
- ▨ Flüstern
- ▨ Bogenschießen

G Realität und Fantasie scheinen bei Herrn Röpke vertauscht. Was ist das Besondere an den Fantasien, die Herr Röpke hat?

H Warum ist die Fantasie des Büroalltags für Herrn Röpke viel spannender als die Realität des Strandurlaubs? Was meinen Sie?

Lösungen

Das Paar

A
a) Er sitzt ihr gegenüber.
b) Ich kann mich nicht entscheiden.
c) Du bist dir nicht sicher.
d) Ich kann mir den Rest denken.
e) Du langweilst dich.
f) Sie sieht ihm tief in die Augen.

B
a) anschauen
b) offensichtlich
c) leise sprechen
d) gar nicht reden
e) wenigstens

Die Leere des Klassenzimmers

A
a) (pott)hässlich
b) nah
c) hellwach
d) fröhlich
e) unvollständig
f) faul

B
a) kam
b) lief
c) ging
d) saß
e) sah
f) schlief
g) stand
h) erfuhr

C
a) gar nichts sagen
b) eine anstrengende Person
c) sehr gut über jemanden sprechen

Liebste Evi

A
a) R
b) F
c) R
d) F
e) F
f) R
g) F

B *freie Lösung*

C
a) die Seifenoper im Fernsehen
b) sehr klein
c) der Erzähler
d) doof

Umtauschen

A
a) F
b) R
c) R
d) F
e) F

B
a) sehr günstiges Angebot
b) sehr schnell

C
a) *über* ein Thema reden
b) etwas *zu* jemandem sagen
c) sich *über* etwas unterhalten
d) jemanden *in* Ruhe lassen
e) Geld *vom* Konto abheben

D Zum Beispiel den Ehepartner, die Eltern, die Geschwister, das Wetter …

E *freie Lösung*

Sissys Chance

A
a) R
b) F
c) R
d) F
e) F
f) R
g) R
h) R
i) F

B
a) unbedingt
b) plötzlich berühmt werden
c) eine Sache verfolgen
d) Beziehungen
e) etwas Besseres verdient haben

C

a)	größer	am größten
b)	besser	am besten
c)	hübscher	am hübschesten
d)	klüger	am klügsten
e)	härter	am härtesten
f)	lieber	am liebsten

D *Lösungsvorschlag*
Auf der Eröffnungsfeier der Münchner Filmfestspiele lernt Sissy plötzlich den berühmten Regisseur Otter kennen und hofft, dass er ihr eine Filmrolle anbietet. Aber am Ende ist Herr Otter gar kein Regisseur, sondern vom Catering-Service.

Die Fantasien des Herrn Röpke

A a) im Strandurlaub
  b) an einen James-Bond-Film
  c) Frau Malsen
  d) auf die Meeresfrüchte
  e) sympathisch
  f) schnell einen Kaffee zu trinken
  g) zwei Gläser Sekt
  h) „Cats"
  i) zu sich nach Hause
  j) Der Urlaub soll endlich vorbei sein.

B Herr Röpke wacht _auf_ und sieht _auf_ die Uhr. Mein Gott, schon so spät. Er springt _aus_ dem Bett, geht kurz _ins_ Bad und zieht sich schnell _an_.

C a) raus und _rein_
  b) rauf und _runter_
  c) hin und _her_

D a) bis man nicht mehr kann
  b) das kommt gar nicht infrage
  c) ein Problem haben
  d) völlig egal sein
  e) sagt man, wenn man ungeduldig ist

E 35
Herr Keiler
Kaffee

F Yoga
Surfen
Reiten
Tauchen
Bogenschießen

G *Lösungsvorschlag*
Herr Röpke träumt vom Büroalltag, während er einen scheinbar idealen Traumurlaub am Strand verbringt.

H *freie Lösung*

Leonhard Thoma

Kurzgeschichten

Niveaustufe B1
Das Wunschhaus und andere Geschichten
Leseheft: ISBN 978–3–19–001670–9
Audio-CD: ISBN 978–3–19–011670–6
Hörbuch (Audio-CD+Leseheft): ISBN 978–3–19–021670–3

Der Taubenfütterer und andere Geschichten
Leseheft: ISBN 978–3–19–201670–7
Audio-CD: ISBN 978–3–19–221670–1
Hörbuch (Audio-CD+Leseheft): ISBN 978–3–19–211670–4

Die Fantasien des Herrn Röpke und andere Geschichten
Leseheft: ISBN 978–3–19–301670–6
Audio-CD: ISBN 978–3–19–321670–0
Hörbuch (Audio-CD+Leseheft): ISBN 978–3–19–341670–4

Niveaustufe B2
Der Ruf der Tagesfische und andere Geschichten
Leseheft: ISBN 978–3–19–101670–8
Audio-CD: ISBN 978–3–19–121670–2
Hörbuch (Audio-CD+Leseheft): ISBN 978–3–19–111670–5

Hueber Freude an Sprachen